Sabedorias

para
PARTILHAR!

Dados Internacionais de Catalogação na Publicação (CIP)
(Câmara Brasileira do Livro, SP, Brasil)

Cortella, Mario Sergio
  Sabedorias para partilhar! : 70 ensinamentos selecionados pelo próprio autor nos livros : Qual é a tua obra?, Pensar bem nos faz bem! e Felicidade foi-se embora? / Mario Sergio Cortella. Petrópolis, RJ : Vozes, 2020.

  ISBN 978-65-571-3068-1

  8ª reimpressão, 2024.

  1. Autoconhecimento 2. Ensinamentos 3. Essencialismo (Filosofia) 4. Filosofia 5. Mensagens 6. Sabedoria I. Título.

20-38146   CDD-102

Índices para catálogo sistemático:
1. Filosofia : Antologias   102

Maria Alice Ferreira – Bibliotecária – CRB-8/7964

MARIO SERGIO CORTELLA

Sabedorias
para PARTILHAR!

70 ENSINAMENTOS SELECIONADOS PELO PRÓPRIO AUTOR
nos livros *Qual é a tua obra?*, *Pensar bem nos faz bem!* & *Felicidade foi-se embora?*

VOZES
NOBILIS

© 2020, Editora Vozes Ltda.
Rua Frei Luís, 100
25689-900 Petrópolis, RJ
www.vozes.com.br
Brasil

Todos os direitos reservados. Nenhuma parte desta obra poderá ser reproduzida ou transmitida por qualquer forma e/ou quaisquer meios (eletrônico ou mecânico, incluindo fotocópia e gravação) ou arquivada em qualquer sistema ou banco de dados sem permissão escrita da editora.

CONSELHO EDITORIAL

Diretor
Volney J. Berkenbrock

Editores
Aline dos Santos Carneiro
Edrian Josué Pasini
Marilac Loraine Oleniki
Welder Lancieri Marchini

Conselheiros
Elói Dionísio Piva
Francisco Morás
Gilberto Gonçalves Garcia
Ludovico Garmus
Teobaldo Heidemann

Secretário executivo
Leonardo A.R.T. dos Santos

PRODUÇÃO EDITORIAL

Aline L.R. de Barros
Marcelo Telles
Mirela de Oliveira
Otaviano M. Cunha
Rafael de Oliveira
Samuel Rezende
Vanessa Luz
Verônica M. Guedes

Conselho de projetos editoriais
Isabelle Theodora R.S. Martins
Luísa Ramos M. Lorenzi
Natália França
Priscilla A.F. Alves

Edição para o autor: Paulo Jebaili
Editoração: Maria da Conceição B. de Sousa
Diagramação: Sheilandre Desenv. Gráfico
Revisão gráfica: Editora Vozes
Capa: Rafael Nicolaevsky
Ilustração de capa: Alexandre Maranhão

ISBN 978-65-5713-068-1

Este livro foi composto e impresso pela Editora Vozes Ltda.

Sumário

Vida em abundância, 11

Ser humano é ser junto!, 13
1 A arrogância limita, 14
2 Distração ou arrogância?, 16
3 Consolação, 18
4 Dissimulação, 20
5 Arquipélago humano, 22
6 Mágoa, 24
7 Calúnia, uma arma letal, 26
8 Fartura, 28
9 Solidão por opção, 30
10 Quem avisa amigo é?, 32
11 O lugar da convivência, 34
12 O lugar da partilha, 36

A vida para além de si mesma, 39

13 Vida e morte, 40

14 Ninguém é insubstituível?, 42

15 Vida viva, 44

16 Acaso ao nascer, 46

17 Voltar para casa, 48

18 Rolam as lágrimas, 50

19 Fatalidade, 52

20 Incômodo de ser, 54

21 O lugar do importante, 56

22 O lugar da prioridade, 58

Ética não é cosmética!, 61

23 Paz de espírito!, 62

24 Integridade é bom, 64

25 Gente mascarada..., 66

26 Consciência anestesiada, 68

27 Excluído ou vítima?, 70

28 Esperança não é espera!, 72

29 Autenticidade, 74

30 Vingança, 76

31 Caráter e casca de banana..., 78

32 Ética pelo exemplo, 80

33 Cara limpa?, 82

34 Senso de dever, 84

35 O lugar da ética, 86

36 O lugar do futuro, 88

O poder do saber!, 91

37 Sinal de inteligência, 92

38 Duvide de quem não tem
   dúvida, 94

39 Errar não é fracassar!, 96

40 Não aprendemos com os
   erros, 98

41 Coragem de encarar o medo, 100

42 Procurar bons ventos..., 102

43 Audácia não é aventura, 104

44 Pequenas ondas, grandes estragos..., 106

45 O lugar do consumo, 108

46 O lugar da tecnologia, 110

Virtudes e vícios, 113

47 Humildade na origem, 114

48 Invulnerável? Perigo à vista, 116

49 Ter, sem ser possuído, 118

50 Ambição não é ganância, 120

51 Escrúpulo, a pedra no sapato, 122

52 Zelo, 124

53 Fidelidade, 126

54 Ira, o ponto de ebulição, 128

55 Honestidade, 130

56 Paciência, 132

57 Onde fica a gratidão?, 134

58 A fonte do mal, 136

59 Preguiça, 138

60 Posse obsessiva, 140

61 O lugar do certo, 142

62 O lugar do essencial, 144

Essa tal felicidade, 147

63 Felicidade não é só alegria, 148

64 Abundância partilhada, 150

65 Um obstáculo à natureza, 152

66 Compaixão..., 154

67 A Vida vai além, 156

68 Às vezes não dá para ser feliz..., 158

69 Apesar dos pesares..., 160

70 Viva!, 162

Vida em abundância

A coisa mais bonita que eu já vi no Cristianismo é uma fala de Jesus que está no Evangelho de João, capítulo 10, versículo 10. É a mais precisa ideia de felicidade que conheço: "Quero que tenhais vida e vida em abundância".

O que é abundância? Abundância não é excesso, não é desperdício, não é perda. Abundância é a presença do suficiente sem restrição. Abundância de comida, de trabalho, de afeto, abundância de Vida e, nela, da partilha e da comunhão.

No entanto, o mais belo da frase, e por isso é para mim a expressão da felicidade, é que ela está no plural. A frase não é: "quero que você tenha vida e vida em abundância". A frase é: quero que "tenhais" vida, e esse desejo e boa-nova nos encanta, pois retoma-se nela a ideia de Fraternidade...

Mario Sergio Cortella

Ser humano é ser junto!

1
A arrogância limita

Nós, homens e mulheres, vivemos juntos. Aliás, para seres humanos, não existe vivência, existe apenas convivência. Nós só somos humanos com outros humanos. A nossa humanidade é compartilhada. Ser humano é ser junto.

Isso significa que é preciso que saibamos que a nossa convivência exige uma noção especial da nossa igualdade de existência, o que nos obriga a afastar do ponto de partida qualquer forma de arrogância.

Gente arrogante acha que é o único tipo de ser humano válido que existe. Gente arrogante se relaciona com o outro – por conta do dinheiro que carrega, por conta do nível de escolaridade, por conta do sotaque que usa – como se o outro não fosse outro, e fosse menos. Isso apequena a Vida e apequena a alma.

2
Distração ou arrogância?

Gente arrogante é incapaz de prestar atenção. Você está conversando com o arrogante, ele não presta atenção no que você está falando. Ele fica pensando em outra coisa enquanto você fala. Ele não quer nem saber o que você está falando. Ele só está esperando você parar para ele continuar falando. O arrogante esquece uma frase do grande teólogo catarinense, Leonardo

Boff, que diz: "um ponto de vista é a vista a partir de um ponto".

A vida que não se apequena, entre outras coisas, nos obriga a perceber essa multiplicidade de pontos de vista. O arrogante acha que só tem um ponto de vista que vale: o dele. Aliás, o arrogante costuma dizer, e muito: "Só há dois modos de fazer as coisas: o meu e o errado. Vocês escolham".

3
Consolação

Consolação, aquilo que provoca alívio, que torna as coisas mais leves, que permite que não fiquemos tão carregados com alguma coisa que nos amargure, que nos entristeça. A consolação precisa ser procurada à medida que retira de nós uma aspereza maior para viver, para pensar.

Ambrose Pierce, em seu irônico *Dicionário do Diabo*, diz que consolação é "o fato de se saber que alguém melhor do que nós está mais infeliz do que nós"; isto é, alguém que é melhor em termos de capacidade, de condição econômica, de reconhecimento, está mais infeliz do que nós.

Essa ironia carrega um grande humor, mas há pessoas que ficam mais consoladas quando percebem que alguém que é muito melhor está infeliz e, nesse sentido, é alegria pela tristeza alheia.

4
Dissimulação

Algumas pessoas nos festejam com uma alegria imensa, o que nos leva até a imaginar que estão querendo alguma coisa. Afinal de contas, como dizia a música cantada por Ataulfo Alves: "Laranja madura, na beira da estrada, tá bichada, Zé, ou tem marimbondo no pé".

Nós sabemos da necessidade da parte alegre da vida, da capacidade de juntos estarmos, mas, quando há um certo exagero, colocamos o pé atrás. O carioca Mariano José Pereira da Fonseca, Marquês de Maricá, foi ministro da Fazenda logo no início do nosso Império, em 1823. Ele nos alerta: "Quem muito nos festeja alguma coisa de nós deseja".

Claro que não é sempre assim; há pessoas que são sinceras no festejamento quando nos encontram e há outras que, sabemos, dissimulam.

5
Arquipélago humano

Cada pessoa é um universo imenso. A clássica frase "nenhum homem é uma ilha" continua valendo. Ela faz parte de um poema bastante conhecido do britânico John Donne. Mas, de outro lado, se nenhum homem é uma ilha, cada homem e cada mulher é um mundo. E por mais que essa ideia pareça romântica, ela não pode ser descartada. Samuel Johnson, escritor britânico do século XVIII, considerava perdido o dia em que não conhecia uma nova pessoa. Porque conhecer uma nova pessoa significa conhecer um dos modos de ser humano, uma das maneiras de viver a história, uma das formas de se organizar a vida.

Se ninguém é uma ilha, nenhum e nenhuma de nós deixamos de ser um mundo em si, e, nesse sentido, para que possamos construir uma realidade mais rica, um dia no qual conhecemos outra pessoa é um dia que nos enriquece.

6
Mágoa

Quantas vezes imaginamos a mágoa como aquilo que temos direito de ter e de levar para sempre? Isso nos deixa um pouco amargos. Mágoa em relação a alguém que nos ofendeu e isso gerou raiva. O memorialista e médico Pedro Nava, no livro *Baú de ossos*, diz: "Eu não tenho ódio, eu tenho memória".

Isto é, eu não estou odiando, mas algumas coisas não consigo esquecer. Algumas coisas eu não quero esquecer, algumas coisas não devem ser esquecidas: a ofensa que encontrou terreno para a humilhação, a capacidade de machucar alguém com violência física ou simbólica, um massacre produzido sobre uma comunidade. Não é para se ter ódio, mas é para se ter memória, que serve também para que não sejamos capazes de repetir ou de admitir que se repita aquilo que conosco fizeram.

7
Calúnia, uma arma letal

Calúnia, aquilo que é tão frequente nas fofocas, na empresa, na universidade, na família. Tem origem no latim, que é *calumnia*, o antepositivo para "trapaça", aquilo que faz enganar, aquilo que dribla a percepção do que seria verdadeiro.

A calúnia não é estranha ao nosso modo de viver juntos. Fala-se com muita facilidade de outras pessoas, fazendo com que a calúnia ofenda, ameace, magoe e vitime muitos.

O Talmud, um livro essencial da tradição judaica no qual rabinos registraram coisas importantes nos usos e costumes éticos, diz que a língua que calunia mata três ao mesmo tempo: mata aquele que profere a calúnia porque o diminui; mata aquele que acolhe a afirmação perversa, que acaba sendo conivente; e mata a vítima inocente, isto é, uma morte simbólica, que degrada, que diminui, que torna imunda a relação.

8
Fartura

Ficamos cheios de preparativos quando há festividades para nossa possibilidade de uma mesa farta. Há uma confusão aí. Um conhecimento farto, uma capacidade farta, uma mesa farta, uma casa farta não é aquela que tem excessos, é aquela em que há uma situação de partilha, aquela que, seja a casa, seja a mesa, possa ser partilhada; isto é, auxiliar a gerar mais conforto, mais vida, mais alegria.

Muitos acham que uma mesa abundante é aquela cheia de pratos numa festividade. Ao contrário, uma mesa abundante é aquela em que há pessoas com as quais se possa repartir aquilo que ali está. Há muitas mesas, por exemplo, em algumas comemorações, alguns jantares, algumas ceias que estarão cheias de coisas e sem nenhum afeto de ninguém que esteja convivendo ali, sem que haja um desejo, de fato, de estar junto.

9
Solidão por opção

É comum que, em alguns momentos, especialmente quando fora do mundo do trabalho, muitas pessoas se sintam sós. Mas querer ficar sozinho para poder pensar, baixar um pouco a intensidade do dia a dia, diminuir as turbulências, cuidar um pouco de si não deve ser confundido com ser solitário. Porque o solitário é aquele que ninguém tem.

A solidão como escolha ajuda a cuidar de si, a meditar, a pensar mais, a dar um tempo para os próprios pensamentos, enquanto que a solidão resultante da ausência de conexões e de contato com outras pessoas é malévola, à medida que se aproxima bastante do abandono.

Ficar só, como uma escolha, é uma boa escolha; ficar só porque não tem escolha é algo que estilhaça a nossa capacidade de sentir bem-estar.

10
Quem avisa amigo é?

A pessoa inconveniente é aquela que, em vez de me ajudar quando cometo algum deslize, prefere chamar a minha atenção, dar-me uma bronca.

É como alguém, por exemplo, que sofre um infarto e a pessoa que vai visitá-la, em vez de apoiá--la, oferecer palavras de carinho ou de conforto, fica dizendo: "Tá vendo? Eu não tinha falado, eu não dizia que você deveria evitar alimento desse tipo? Que o consumo de tabaco podia te conduzir a essa situação?"

Não significa que essas coisas não devam ser ditas, mas elas têm que funcionar antes da situação, e não durante. De nada adianta alguém que já está ferido, combalido e fragilizado por alguma coisa ainda ser vitimado por uma pessoa inconveniente que vem com lenga-lenga.

11
O lugar da convivência

Cuidado com a convivência superficial! A superficialidade se origina, em grande parte, das relações muito velozes que não criam raízes e nem dão tempo para maturação e maior perenidade.

Numa sociedade em que alguns entendem que *fast-food* é boa maneira de se alimentar e que miojo é sinônimo de comida, nada espanta que passemos por uma "miojização" das relações:

namoro miojo, amizade miojo, religião miojo, encontro miojo. Tudo instantâneo e insosso.

Para escapar, só estabelecendo as prioridades para o uso do tempo; a superficialidade é, antes de mais nada, uma desistência.

Dá trabalho aprofundar relações, contatos, amizades; é mais fácil ser raso. E muita gente escolhe ser rasa na convivência, o que nega o sentido da palavra: viver junto!

12
O lugar da partilha

Qualquer sociedade ou família que desprezar a importância da solidariedade, da lealdade, da dignidade e da amizade estará apodrecendo valores essenciais e, nessa condição, preparando-se para uma vida que, além de curta, ainda será pequena.

Há grande risco em admitir o individualismo, a postura egocêntrica que costuma redundar em convivência predatória.

Porém, há muitos homens e muitas mulheres que rejeitam tal posição e, em vez de ficarem bradando por aí: "alguém tem de fazer alguma coisa!" juntam-se para fazer o que podem e precisa ser feito. É possível, sim, recusar o fratricídio paulatino e aderir a princípios de compartilhamento da Vida que nos impeçam de lembrar o que escreveu Millôr Fernandes: "É preciso ter sem que o ter te tenha..."

A vida para além de si mesma

13
Vida e morte

Uma criança vira para você e pergunta: "Pai, se você morrer, o que vai acontecer com a nossa casa?", "Vô, se você morrer, quem vai cuidar da nossa cadeira?" Ela fala assim? Não, ela fala "quando". "Vô, quando você morrer..." e a gente corrige: "Não é 'quando' que fala, é 'se'." É obvio para nós que o "se" é mera simbologia, a questão é "quando". Se nós somos seres mortais, o que é vida? Vida é o intervalo de tempo entre nascimento e morte.

Quando você nasceu, chorou e as pessoas riam. Quando morrer, provavelmente vai estar com jeito de quem sorri e os outros vão estar chorando. Se a vida é muito curta para ser pequena, como dizia o político britânico Benjamin Disraeli (1804-1881), é preciso cuidar direitinho do que acontece entre esses dois momentos. Nascer e morrer é solitário; viver, não.

14
Ninguém é insubstituível?

Tem uma frase que circula por aí que diz que "ninguém é insubstituível". Isso é bobagem. Ninguém é substituível. O que pode ser substituído é o que eu faço. Eu, Cortella, antes de existir, o universo não era assim. E quando eu deixar de ser, ele não será mais assim. Eu sou, você é, ele é, ela é parte essencial desse mistério.

Ninguém é substituível! O que é substituível é aquilo que faço aqui, o que alguém faz numa usina, numa universidade, num hospital, em casa, outro aprende e faz.

Agora, eu sou insubstituível. E eu não queria deixar de ser. Mas só tem uma maneira de continuar: continuar nos outros, com fraternidade. A única maneira de continuar na vida é repartir vida. Se você guarda vida consigo ela consigo vai.

15
Vida viva

Albert Schweitzer, Prêmio Nobel da Paz de 1952, foi teólogo e músico europeu que, pensando em servir mais do que ser servido, aos 30 anos de idade, deixando de lado o alto prestígio social e financeiro que tinha, resolveu cursar Medicina só para poder cuidar na África de milhares de desvalidos. Ele se formou e passou mais de meio século de uma vida profícua (morreu com 90 anos!) usando a própria vida para proteger outras vidas.

É dele a frase funda, perturbadora: "A tragédia não é quando um homem morre; a tragédia é aquilo que morre dentro de um homem enquanto ele ainda está vivo".

E o que não pode morrer em vida dentro de alguém? A fé, a esperança, a solidariedade, a fraternidade e a decência. Assim, a vida vive além de si mesma.

16
Acaso ao nascer

Uma frase que muita gente já disse em discussões com os pais ou com a família é: "Eu não pedi pra nascer". Evidentemente, a própria pessoa que ouve a frase pode dizer: "Nem eu". Aí vamos recuando a pergunta até os confins das origens humanas.

De fato, não se pediu para nascer, e essa condição nos coloca um dado especial: a vida é uma gratuidade. Evidentemente que a expressão "não pedi para nascer" quer significar, para quem a diz, que não é responsável pelas coisas que estão acontecendo ali; "afinal de contas, o que posso fazer?" – fala – "a vida é assim".

O pensador espanhol do século XVII Francisco de Quevedo, em *Vida de Marco Bruto*, escreveu uma frase que nos ajuda: "O nascer não se escolhe, e não é culpa nascer do ruim e, sim, imitá-lo".

17
Voltar para casa

Uma das sensações mais gostosas que podemos ter é quando, após uma ou duas semanas de férias, bate uma saudade de casa. Para quem teve e tem uma casa acolhedora, com uma família acolhedora, dá saudade do cheiro do lençol, do jeito do banheiro, do travesseiro. Passear é gostoso, entrar em férias, viajar, mas a casa da gente, quando significa um local de acolhimento, de cuidado, de proteção, é muito atraente.

Carlos Lacerda, político carioca dos anos de 1960, um dos melhores oradores que nosso país já teve, em seu livro *Cão negro*, trouxe à tona uma máxima sobre a felicidade doméstica: "A minha casa é limpa bastante para ser saudável e suja bastante para ser feliz". O que ele quis dizer com isso? Que uma casa que está o tempo todo absolutamente limpa é uma casa que não é usada.

O uso mancha, mas depois limpamos...

18
Rolam as lágrimas

Durante muito tempo se supôs que o choro era algo a ser evitado, para demonstrar bravura e coragem. De maneira machista, chorar era tido como um atributo quase exclusivamente feminino. A frase antiga, ouvida na escola, na rua, na família, tinha algumas variações, porém o mesmo sentido: "homem não chora", "chorar é coisa de menina", "está chorando igual a uma menininha".

Essas ideias, felizmente, foram sendo mudadas. O escritor William Shakespeare dizia: "O choro diminui a profundidade da dor".

Os cristãos, no Evangelho de Mateus, capítulo 5, versículo 4, ao citar as bem-aventuranças, lembram de uma delas que está ligada a isso: "Bem-aventurados os que choram, porque serão consolados"; isto é, o choro como possibilidade de sinalizar para as outras pessoas, para aquilo que está à nossa volta ou para nós mesmos, que alguma coisa não vai bem.

19
Fatalidade

Quando se fala em fatalidade entende-se como resultado daquilo que nada podemos fazer. E esse termo serve para explicar muita coisa que, em tese, pareceria quase inexplicável ou que devamos nos consolar por ela ter aparecido. A ideia de fado (o termo dá nome a um dos modos mais belos da música portuguesa) é a de destino, do que está fadado. Entre os antigos havia uma divindade que ajudava ou podia prejudicar a criança, chamada fada.

Leon Eliachar, escritor de humor no Brasil, brincou de forma séria no livro *O homem ao quadrado*, ao definir fatalidade: "Tudo aquilo que a gente só prevê depois que acontece".

Algumas pessoas até se especializam em dizer: "Eu não falei?" O profeta de depois da hora, aquele que anuncia após o ocorrido, é muito presente no nosso dia a dia.

20
Incômodo de ser

A pessoa costuma colocar a mão sobre o peito ou sobre o pescoço, apertar um pouco e dizer "alguma coisa está me angustiando, eu estou incomodado".

O escritor mineiro Abgar Renault (1901-1995) publicou um livro de poesias, em 1983, chamado *A outra face da lua*. Nele há um texto com um título que, em si, já mostra um pouco o seu peso; chama-se "Balada da irremediável tristeza". Nesse poema ele foi fundo e escreveu: "Eu hoje estou inabitável"; isto é, não caibo, não posso morar dentro de mim.

Não é que eu não estou cabendo em mim de satisfação ou alegria, eu não estou cabendo em mim de incômodo, de irremediável tristeza, a ideia de não poder morar. Hoje eu preciso estar fora, eu não caibo, não posso me habitar.

21
O lugar do importante

Nos últimos 50 anos houve mais desenvolvimento tecnológico do que em toda a história anterior da humanidade; isso trouxe uma série acelerada de ferramentas que turbinaram o nosso cotidiano, nos soterraram com novas tarefas e demandas e nos tornaram reféns dessa mesma tecnologia.

Aquilo que era uma promessa (mais tecnologia = mais tempo livre) tornou-se um pesadelo; é óbvio que a questão central não é descartar a tecnologia, mas, isso sim, rejeitar a submissão a ela, sendo capaz de garantir que o urgente não tome o lugar do importante.

O urgente precisa ser resolvido, mas, de modo algum pode obscurecer e descartar o que é importante. E o que é importante? O que faz com que nossa Vida não seja banal, fútil e superficial!

22
O lugar da prioridade

Tempo é questão de prioridade. Nunca faremos tudo, de todos os modos, a qualquer tempo. E prioridade é palavra que não deve ter plural. Quando digo que não posso dedicar-me a uma leitura, a uma palestra, a uma conversa, a uma oração, a um ato de solidariedade, no fundo estou dizendo: "isso não é prioridade para mim".

Dizer que não tem tempo se assemelha ao argumento de alguns infartados antes do infarto;

antes, ao dizerem a ele que era urgente fazer caminhadas, o tempo era o mote central da negativa. Agora, após o infarto, se sobreviveu, levanta-se de madrugada e lá vai ele às seis da manhã trotar pelas avenidas ou parques.

Ué? Se arrumou tempo após o colapso, por que não o fez antes de colapsar? Mudou o relógio? Não; mudou a prioridade...

Ética não é cosmética!

23
Paz de espírito!

As três grandes perguntas da Vida: Quero? Posso? Devo? E para lidar com elas? E quando você obtém um pouco de sossego mental? Quando aquilo que você quer é também o que você pode e aquilo que você deve.

Meus princípios de vida servem exatamente para ajudar a decidir nessas questões cotidianas, e princípios têm que ter validade persistente e afastar qualquer hipocrisia, pois sempre temos dilemas:

às vezes quero, mas não posso; em outras posso, mas não devo e, ainda, há momentos em que devo mas não quero.

A paz de espírito vem quando sabemos estar fazendo o que deve ser feito, usando o que se pode, sabendo ser decente querer aquilo. O alerta do Apóstolo Paulo continua valendo: tudo me é lícito, mas nem tudo me convém...

24
Integridade é bom

O que é uma pessoa íntegra? É uma pessoa correta, que não desvia do caminho; uma pessoa justa, honesta. É uma pessoa que não tem duas caras. Qual a grande virtude que uma pessoa íntegra tem? Ela é sincera.

De onde vem a palavra sinceridade? Ela tem várias acepções, mas a mais recente tem a ver com marcenaria. No século XIX era muito comum que, na marcenaria, aqueles móveis chamados coloniais, quando o marceneiro errava com o formão, pegava cera de abelha, que fica escura, e passava naquele lugar para disfarçar o erro.

Sine cera significa "sem cera", e uma pessoa sincera é aquela que não disfarça o erro, ela assume. Gente sem sinceridade, em vez de fazer de novo e corrigir, finge que está certo passando "cera de abelha".

25
Gente mascarada...

Sabe de onde também vem a expressão original "sincera" lá no passado distante? Do latim *sine cera*, "sem cera", vem da criação de abelhas. Qual é o mel puro, o da geleia real? É o mel sem cera. A noção de pureza está aí.

Mas ela vem do teatro também. No teatro grego, há 2.500 anos, todas as vezes que uma peça era representada, os atores eram sempre homens, sem mulheres como protagonistas.

Para que um ator pudesse fazer papéis, inclusive os femininos, construíam uma máscara de argila e a seguravam na frente do rosto com uma varetinha.

Os latinos, que herdaram o jeito grego de fazer teatro, deram a essa máscara o nome de *persona*. Daí vieram "personagem" ou "personalidade". Aliás, tem gente que tem várias dessas máscaras. Deixa em casa uma e sai com outra...

26
Consciência anestesiada

É necessário cuidar da ética porque senão anestesiamos a nossa consciência e começamos a achar tudo "normal". Vou contar uma coisa que você mais jovem não acredita. Quando me mudei para São Paulo, vindo de Londrina, em 1967, saía da escola ou do trabalho, andava às 11 da noite sozinho para casa, ouvia passos de outra pessoa e sentia alegria. "Graças a Deus, vem vindo outra pessoa".

Sabe do que a gente tinha medo? De defunto... Passava era longe do muro do cemitério, da parte de trás da igreja.

Hoje você sai às 11 da noite de casa, da escola, do trabalho, da igreja, ouve passos de outra pessoa e pensa: "Meu Deus do céu, vem vindo outra pessoa". O que aconteceu? Será que nos anestesiamos? Perdemos a esperança?

27
Excluído ou vítima?

Falamos bastante a expressão "excluídos", mas ela é muito sutil. Há duas formas que prefiro a essa: uma usada por José de Souza Martins, sociólogo e professor emérito da Universidade de São Paulo, e a outra da lavra do argentino Enrique Dussel, filósofo da Libertação que vive no México.

Em vez de "excluídos", Martins usa "incluídos precariamente": inclusão precária na escola, emprego, hospital. Dussel insere outro vocábulo bastante instigante, por ser mais preciso; ele usa "vítima", em vez de excluído. Pessoas vitimadas pela economia, vitimadas pela patifaria, vitimadas pela negligência e omissão.

A palavra "excluído" tem uma certa relatividade. Mas a palavra "vítima" é muito clara e só não entende quem não deseja entender.

28
Esperança não é espera!

Gosto de lembrar de uma frase de Paulo Freire, o maior dos nossos educadores, grande pernambucano que, nascido em 1921, partiu em 1997 deixando Vida, e Vida em abundância. Ele dizia: "É preciso ter esperança. Mas tem de ser esperança do verbo esperançar".

Por que isso? Porque tem gente que tem esperança do verbo esperar. Esperança do verbo esperar não é esperança, é espera.

"Ah, eu espero que melhore, que funcione, que resolva".

Já esperançar é ir atrás, é se juntar, é não desistir. É ser capaz de recusar aquilo que apodrece a nossa capacidade de integridade e a nossa fé ativa nas obras. Esperança é a capacidade de olhar e reagir àquilo que parece não ter saída. Por isso, é muito diferente de esperar; temos mesmo é de esperançar!

29
Autenticidade

Autêntico é aquele que coincide com ele mesmo. Aquele que ensina o que sabe e pratica o que ensina. Quem não pratica o que ensina perde a autenticidade. Perde validade no modo de ação, de reflexão, de pensamento. Vez ou outra usamos uma expressão do latim que pareceria óbvia, mas não é, *nemo dat quod non habet*, que significa "ninguém dá o que não tem".

O sentido da frase é mais profundo. Uma pessoa que não tem lisura, que não tem decência, que não tem honestidade como convicção interna não pode oferecê-la. Perde autenticidade.

Praticar o que se ensina, isto é, evitar dizer uma coisa e fazer outra, é uma conduta ética que queremos o tempo todo, em todos os lugares. Senão, vira hipocrisia e cinismo.

30
Vingança

Nas nossas cidades não tem sido incomum situações de violência inacreditável – mas não o será para sempre. Ficamos imaginando como um ser humano é capaz de fazer aquilo.

E aí vem o desejo de vingança, de colocar em cena o famoso "olho por olho, dente por dente", a clássica Lei de Talião, que é uma expressão que vem do latim, do "tal e qual". Tal isso, tal aquilo. Talião não era um lugar, mas uma expressão latina tal e qual, *talis* (tal, igual).

Lembremos o líder indiano Mahatma Gandhi, uma pessoa que pensou na possibilidade de enfrentamento sem violência, de resistência pacífica – não a inação, o conformismo, mas o combate à violência sem o uso de uma violência idêntica. Ele dizia: "Olho por olho e o mundo fica cego".

31
Caráter e casca
de banana...

O que se pensa quando se encontra uma casca de banana jogada numa calçada, numa rua, num corredor? Ela pode ajudar demais a avaliar o caráter de pessoas.

Uma antiga máxima lembra exatamente isso: "A casca de banana: atira o negligente, deixa-a ali o complacente, a retira o cauteloso". Uma casca de banana jogada no chão ajuda a entender o caráter das pessoas. Porque aquele que joga fora é uma pessoa negligente em relação à conduta coletiva. Aquele que, ao encontrá-la, nada faz, acaba sendo omisso e põe em risco outras pessoas que poderão sofrer uma queda. E quem a retira demonstra um caráter de maior cuidado consigo e com as outras pessoas.

Portanto, casca de banana no chão, o que a leva a lá estar, se ali permanece ou dali é retirada, por incrível que pareça, é um indicador ético.

32
Ética pelo exemplo

A palavra "ética" ecoa. Fala-se demais sobre ela, mas a sua prática revela algumas fraturas. Ética se apreende muito pela forma exemplar.

Nossos pais, nossos avós, alguns num tempo mais antigo diziam: "Nesta família não se faz isso!" Ou se mostrava a recusa àquilo que é indevido. A prática da honestidade como sendo um valor exemplar. A ética não é apenas um tema para ser falado.

É preciso mostrá-la, indicá-la. A ética não está relacionada apenas ao campo da política, ela está relacionada à família, à convivência, ao lugar em que moramos.

Se a ética é exemplar, a escola e a família são dois lugares prioritários em que o exercício ético por parte dos adultos e das crianças é necessário. Insistimos: ética não é cosmética, não é uma coisa de fachada que nós apenas mostramos, é preciso coerência para que isso se implante.

33
Cara limpa?

Diz o Talmud que "três coisas podem mostrar o que um homem é: sua taça quando transborda, sua bolsa quando está cheia e a sua ira".

Isto é, quando uma pessoa de fato se mostra?

Quando a taça transborda, isto é, quando a pessoa bebe e fica um pouco acima do que seria aceitável na sua racionalidade, o álcool a perturba de alguma maneira. Há pessoas que dizem que, quando bebem, ficam fora de si. Não é verdade, algumas ficam dentro de si, pois aí é que elas se mostram como são. A segunda coisa é quando a bolsa está cheia, quando a pessoa tem recurso, tem dinheiro, nós notamos o que ela realmente faz com o que tem. Se partilha, se pratica a fraternidade ou se é egoísta. E, por último, quando ela manifesta sua ira.

34
Senso de dever

Há uma diferença entre "está na hora" e "a hora é agora". Porque "está na hora" é apenas apontar o horário em que algo tem que ser feito. Agora, "a hora é agora" indica urgência, sem adiamentos, sem escapes.

Uma das coisas mais importantes na formação de uma personalidade, de um pesquisador, de um profissional, de uma criança e de um jovem é que ele tenha esse senso de dever e o senso de urgência. Não se pode, evidentemente, ficar fazendo apenas aquilo que é urgente, também é necessário dedicar-se ao importante. Quando cuidamos demais do urgente o importante fica de lado.

André Gide, Prêmio Nobel de Literatura em 1947, fazia uma pergunta importante: "Se não fizeres isto, quem o fará? Se não fizeres logo, quando será?" Porque, se algo tem que ser feito, temos que fazê-lo, vamos fazê-lo.

35
O lugar da ética

Para o cuidado com a ética vale demais algo que o Corpo de Bombeiros sempre costuma alertar: "nenhum incêndio começa grande"; é sempre uma pequena fagulha ou faísca que dá início a tudo.

No terreno da Ética é a mesma coisa; a delinquência do cotidiano, isto é, pequenos atos individuais aparentemente inofensivos, provocam a devastação: parar o carro em fila dupla, esquecer-se do candidato em quem votou para deputado, não pedir nota fiscal, deixar a água escorrendo enquanto se ensaboa ao chuveiro, permitir que alimentos se estraguem por preguiça de guardá-los a tempo, aceitar diminuição do custo de um serviço em troca da não emissão de recibo, piadas racistas etc.

É preciso apagar esses "focos de incêndio" que queimam nossa decência!

36
O lugar do futuro

É preciso que nossos jovens ultrapassem a reduzida percepção de que é preciso fazer tudo agora, ao mesmo tempo, de uma vez; isto é, "aproveitar a vida" como sinônimo de viver apenas o momento presente.

Vida humana é história e história é tempo que também tem futuro; como disse Pierre Dac, "o futuro é o passado em preparação", e a grande pergunta é: "Qual passado queremos ter daqui a trinta, quarenta anos"? Qual será a nossa herança, nosso legado e nossa vivência experimentada e partilhada?

Viver o presente não descarta pensar no futuro para edificar o passado, que será nossa marca individual! Por isso, sensibilizar jovens para a recusa ao viver apequenado é levá-los a refletir sobre o perigo de uma vida que, desse modo, seria desperdiçada.

O poder do saber!

37
Sinal de inteligência

Uma das coisas mais inteligentes que um homem e uma mulher podem saber é saber que não sabem. Aliás, só é possível caminhar em direção à excelência se souber que não sabe algumas coisas. Há pessoas que, em vez de terem humildade para saber que não sabem, fingem que sabem.

Pior do que não saber é fingir que sabe. Quando você finge que sabe impede um planejamento adequado, impede uma ação coletiva eficaz. Por isso, a expressão "não sei" é um sinal de absoluta inteligência.

Essa é uma regra básica da vida: quando você está no fundo do poço a primeira coisa que precisa para sair de lá é parar de cavar. E a pá que continua cavando é o não ao saber, fingir que sei. Fingir para quem? Não existe autoengano...

38
Duvide de quem
não tem dúvida

A pessoa humilde é capaz de ter dúvida, e isso é motor de mudança. Cuidado com gente que não tem dúvida. Gente que não tem dúvida não é capaz de inovar, de reinventar, não é capaz de fazer de outro modo. Gente que não tem dúvida só é capaz de repetir.

Cuidado com gente cheia de certeza. Num mundo de velocidade e mudança imagine se você ou eu somos cheios de certeza, a dificuldade que isso nos carrega. Claro, você não pode ser alguém que só tem dúvida, mas não as ter é sinal de tolice. "Será que estou fazendo do melhor modo? Da maneira mais correta? Será que estou fazendo aquilo que deve e pode ser feito?"

Duvidar não é desacreditar de tudo, mas, isso sim, abrir-se à possibilidade de fazer melhor para si e para os outros.

39
Errar não é fracassar!

Só seres que arriscam erram. Não confunda erro com negligência, desatenção e descuido. Ser capaz de arriscar é uma das coisas mais inteligentes para mudar. Você não tem de temer o erro. Tem de temer a negligência, a desatenção e o descuido.

Erro é para ser corrigido, não para ser punido. O que se pune é negligência, desatenção e descuido. Quem inventou a lâmpada elétrica de corrente contínua foi

Thomas Edison, sabemos. O que nem sempre se tem ideia é que ele fez 1.430 experiências antes de chegar à lâmpada, que deram errado. Ele inclusive registrou: inventei 1.430 modos de não fazer a lâmpada.

Porque é muito importante também saber o que não fazer. Ele aprendeu que o fracasso não acontece quando se erra, mas quando se desiste face ao erro.

40
Não aprendemos com os erros

Errar é humano, mas não é obrigatório. No entanto, nenhum e nenhuma de nós é capaz de fazer tudo certo o tempo todo e de todos os modos. Por isso, você só conhece alguém quando sabe que ele erra, e quando ele erra e não desiste. E dizem: Ah, é por isso que a gente aprende com os erros?

Não, a gente não aprende com os erros. A gente aprende com a correção dos erros. Se a gente aprendesse com os erros, o melhor método pedagógico seria errar bastante. (É bom lembrar que todo cogumelo é comestível. Alguns apenas uma vez.)

Isso exige humildade para reconhecer, admitir e corrigir os erros, em vez de apenas argumentar (como muita gente faz para se esquivar) que "errar é humano"; aí sim, na correção, estaremos aprendendo.

41
Coragem de encarar
o medo

Por que alguns de nós perdemos as boas oportunidades na vida profissional ou pessoal? Porque temos medo de mudança, que se transforma em pânico. Uma pessoa só aceita a mudança, de fato, quando percebe que será beneficiada no processo. Todos temos medo. A natureza colocou em nós dois mecanismos para sobrevivermos: medo e dor. Pânico, porém, é outra coisa. O medo ajuda a não acharmos que somos invulneráveis.

Em todo processo de mudança é preciso ficar acautelado, e o medo auxilia nisso. Quem não tem medo se sente satisfeito, tranquilo e distraído.

Atenção: a coragem não é a ausência do medo. A coragem é o enfrentamento do medo. Corajoso é aquele que enfrenta o medo e não admite que ele se transforme em pânico ou em imobilidade.

42
Procurar bons ventos...

De onde vem a palavra oportunidade? Vem do nome de um vento. Os romanos tinham o hábito, na Antiguidade, de dar nome aos ventos. E um vento que eles apreciavam imensamente, que levava o navio em direção ao porto, era chamado de *Ob portus*, o vento oportuno.

O que é oportunidade? É quando você pega o vento favorável, aquele que o leva para o porto. O vento inoportuno é aquele que lhe tira da direção do porto. O que é o porto? O porto – assim como uma porta – é segurança, é entrada e saída, é aquilo que o impede de ficar estanque na coisa mais perigosa que existe, que é ser prisioneiro da indigência mental e da falta de opções.

O porto ou a porta impede que eu fique isolado, que eu fique ilhado, sem alternativa de melhoria.

43
Audácia não é aventura

Uma característica central de quem não perde oportunidade é a capacidade de ter audácia. Não confunda audácia com aventura. A mudança se faz com os audaciosos, não com os aventureiros.

O grande pensador alemão Immanuel Kant, século XVIII, dizia: "Avalia-se a inteligência de um indivíduo pela quantidade de incertezas que ele é capaz de suportar". Suportar não significa sucumbir, mas resistir às incertezas e continuar.

Para resistir às incertezas é preciso ter audácia. Repetindo: não confunda audácia com aventura. Audacioso ou audaciosa é aquele/a que planeja, organiza, estuda e vai. Aventureiro ou aventureira é quem diz: "Vamos que vamos e veremos no que dá", ou: "Primeiro a gente enlouquece e depois vê como é que fica..."

44
Pequenas ondas, grandes estragos...

O navegador Amyr Klink é um homem extremamente audacioso. Não é um aventureiro. Ele é capaz de permanecer por 4 ou 5 meses em bloco de gelo lá no Polo Sul. Mas, antes de partir a bordo do seu Paratii 2 ele planeja, estrutura, organiza.

Klink nos ensina algo ótimo quando pensamos em excelência. Ele diz que há pessoas que, quando estão observando o processo de navegação, prestam atenção apenas nas grandes ondas. Todavia, o que faz com que o navegador, vez ou outra, se desvie da rota ou o que provoca avarias no barco são as pequenas ondas, que vão batendo no casco bem devagar.

Na vida e na família, muitas vezes é a pequena onda que faz com que o orçamento se esvaia, os afetos se quebrem e a convivência decline.

45
O lugar do consumo

Há hoje um crescimento acelerado do narcisismo e da procura da felicidade como um bem individual, de usufruto exclusivo; por outro lado, aumentou positivamente o respeito à diversidade e a aceitação das diferenças religiosas, políticas e culturais.

Há décadas um valor adequado era a confiança recíproca, decorrente de convivência intensa; outro valor era a honestidade como razão de orgulho pessoal;

outro, ainda, a parcimônia no uso dos bens materiais, sem ostentação e alardeamento.

Agora, em uma sociedade com obsessão consumista, a degradação desses valores veio quando se passou a olhar a outra pessoa como concorrente, a honestidade como inocência tola e a parcimônia como modéstia recalcada. Ainda dá tempo de mudar! Mas sem demora...

46
O lugar da tecnologia

Há pessoas que dizem que "gostariam de ser livres como um pássaro"; mas pássaros não são livres, não podem escolher para onde voam, não podem decidir para além daquilo que a natureza neles imprimiu.

Somos capazes de recusar aquilo que nos maltrata e submete, e esse é o caso da obsessão tecnológica. Não é negar a tecnologia, e sim colocá-la no lugar que precisa estar: é ferramenta e, dessa forma, pode ser deixada de lado quando se deseja.

Ninguém deve descartar o uso do celular, ninguém necessita abrir mão da internet e dos e-mails, mas a compulsão por ficar o tempo todo virtualmente conectado ou conferindo sem parar as mensagens (até acordando no meio da noite para isso) é um vício extremamente perigoso e vira doença neurótica, nada livre...

Virtudes e vícios

47
Humildade na origem

Humildade é virtude especial para crescer no pensamento e na convivência. De onde vem a palavra "humildade"? De *humus*, que é terra fértil e na origem significa o "solo sob nós". Em outras palavras, *humus* é o nível em que nós estamos. Da palavra *humus* também deriva a palavra "humano".

Cada homem e cada mulher têm o mesmo nível de dignidade, de possibilidade, de ação.

No Livro do Gênesis Javé advertiu, quando expulsou o casal primordial e repreendeu Adão: "Do suor do teu rosto comerás o pão, até voltares ao solo, pois dele foste tirado. Sim, és pó e ao pó voltarás" (Gn 3,19): "Do pó viemos, ao pó voltaremos".

Isso significa que, como dignidade e importância, estamos todos no mesmo nível.

48

Invulnerável?
Perigo à vista

Gente arrogante é gente que acha que já sabe, que acha que não precisa aprender, que costuma dizer: "Há dois modos de fazer as coisas: o meu ou o errado. Você escolhe".

Gente arrogante não ouve discordância e não consegue crescer; diz com frequência: "Pode deixar, eu sei o que eu faço". Uma das fases mais perigosas da vida de nossos filhos é quando eles têm 15-16 anos, porque se acham invulneráveis, que nada irá acontecer com eles. Ficam arrogantes em excesso. "Cuidado, filho". Ele responde: "Pai, deixa comigo". Ou: "Filha, olha lá". A resposta: "Mãe, pode deixar, isso nunca aconteceu".

Aquele que se considera invulnerável fica totalmente vulnerável. Arrogância é um perigo porque dá falsa sensação de segurança.

49
Ter, sem ser possuído

Até onde nós vamos nessa obsessão consumista? Até onde eu ou você vamos levar a vida ao esgotamento à custa de quê? De ter mais aparelhos, relógios, roupas, carros, de poder consumir mais? Muita gente se esgota no cotidiano à procura desesperada pela propriedade material e pelo atendimento à moda. Esquece o grande conselho de Millôr Fernandes, antes mencionado: "O importante é ter sem que o ter te tenha"! Não sermos possuídos por aquilo que possuímos, não sermos propriedade do que somos proprietários!

Se eu estou perdendo vida, estou vendendo a minha alma. Aliás, os cristãos têm uma frase que muitos deveriam pensar sempre. Diz: "De nada adianta a um homem ganhar o mundo se ele perder a sua alma" (Mt 16,26).

Mais claro impossível...

50
Ambição não é ganância

É muito importante que se tenha ambição na vida. Mas entendida como uma virtude, e não como um vício. A ambição de querer saber mais, de conhecer mais, de querer uma carreira mais estruturada, uma condição material mais extensa. Isso é ambição, que leva à capacidade de se fazer elevar as coisas que se tem.

Nesse sentido a ambição se diferencia da ganância, que é querer só para si, a qualquer custo. E é um custo que jamais deve ser pago, porque é eticamente apodrecido. A ambição movimenta a capacidade de buscar mais e melhor.

O filósofo espanhol Miguel de Unamuno dizia que "quem não sente a ânsia de ser mais não chegará a ser nada". É preciso ter um projeto, um desejo de elevar-se, de ir adiante, de crescer, não só para si nem a qualquer custo.

51
Escrúpulo, a pedra no sapato

Escrúpulo. Palavra forte, necessária, decisiva para nós no dia a dia. Mas, quando se pensa nela nem sempre se traz à tona a origem que carrega. *Scrupulum*, em latim, é pequena pedra.

Nesse sentido, a ideia de quem tem escrúpulos é de alguém que sente algum incômodo, fica embaraçado. É como se dentro do calçado ficasse uma pedrinha o tempo todo, que vai marcando, criando uma fustigação enquanto se caminha, algo que não nos deixa acomodar.

Algumas pessoas agem como se não tivessem nenhum escrúpulo; isto é, nada as incomoda. Supõem que tudo o que fizerem será normal, mesmo que seja um desvio, um atalho ilícito, uma condição de escape que tenha uma fratura ética, algo que possa trazer nojo para a vida.

52
Zelo

Quem não gosta de gente que zela pelas nossas coisas? Será que nós mesmos zelamos pela nossa decência? Nós desejamos, por exemplo, que tenhamos governantes zelosos, que exerçam o ofício da zeladoria, que tomem conta, cuidem.

Mas temos de lembrar que a palavra "zelo", que originalmente no grego significa "ciúme", algumas vezes encontra terreno na posse obsessiva. Ser ciumento é diferente de ser zeloso. Uma pessoa zelosa é aquela que cuida, mas não é aquela que esconde, que impede que outro se aproxime, que impede que as outras pessoas tenham a condição de partilha.

Zelar por algo é fazer com que a integridade – de uma ideia, de um objeto, de uma pessoa, de um lugar – seja preservada, mantida inteira e, portanto, não tenha rachaduras nem ameaças.

53
Fidelidade

O jornalista francês Aurelién Scholl disse que "a fidelidade é uma forte coceira com a proibição de coçar".

É muito difícil exercer fidelidade aos princípios, às pessoas e às ideias, exercê-la na sua completude. Ser difícil não significa ser impossível. No entanto, tal qual a coceira intensa aparece quando se diz que é proibido coçar ("não vá coçar essa ferida", "não vá coçar essa parte do corpo", "não vá coçar dentro do gesso"), é quando se está imobilizado pela interdição é que dá vontade de fazê-lo.

O fingimento é aquele momento em que disfarçamos e vamos coçar o que não deve e que está proibido de fazê-lo. É proibido coçar, e aí é que várias vezes a dificuldade de fazê-lo vem à tona, porque queremos fazê-lo.

54

Ira, o ponto de ebulição

A ira, a raiva exagerada, é entendida por uns como um dos sete pecados capitais. Vez ou outra dizemos "que raiva que me dá", "que raiva ter que sair para trabalhar", "que raiva de precisar fazer isso que eu não quero fazer".

A ira não chega para as pessoas do mesmo modo. Ela é uma emoção, mexe conosco. Há situações que deixam as pessoas extremamente iradas e outras nem tanto. Há controvérsia em relação a essa temática; até cães e gatos que são da mesma família, um deles sai menos espaventado, menos emocionado e o outro sai mais raivoso.

A ciência ainda não sabe, com toda clareza, o que é que nos move nessa direção. O poeta norte-americano Ralph Waldo Emerson, num dos seus ensaios no século XIX, escreveu: "Ferve-mos em graus diferentes".

55
Honestidade

O escritor carioca Millôr Fernandes (1923-2012), que não canso de citar, no interessante livro *Todo homem é minha caça*, de 1981, dizia que "tem gente que se acha honesta só porque não sabia da mamata".

Millôr trouxe à tona que a honestidade não pode ser fingida. A honestidade não pode ser cínica, de modo que alguém, apenas porque não sabia da existência de uma situação da qual pudesse participar e se beneficiar se considere honesto.

Honestidade não é o que se coloca apenas no campo público, mas é a autenticidade; a pessoa que é capaz de ter uma conduta com ela mesma e com as outras pessoas que não seja marcada pelo oportunismo, pela capacidade de usar a mera circunstância, aproveitar-se daquilo que não deveria fazer.

56
Paciência

Paciência não é a mesma coisa que lerdeza. Paciência é a capacidade de maturar, de deixar fluir, de respeitar o tempo necessário para que algo possa acontecer. Isso é diferente de lerdeza, que é fazer de maneira demorada, e não de maneira paciente. Paciência é uma virtude. Lerdeza é uma demonstração de incompetência e de incapacidade.

Carlos Drummond de Andrade (1902-1987), na obra póstuma *O avesso das coisas*, publicada um ano após sua morte, escreve que "não é fácil ter paciência diante dos que têm excesso de paciência".

Afinal de contas, excesso de paciência começa a deixar de ser paciência, transborda, torna-se lerdeza, passividade e, em grande medida, imobilidade, incapacidade de se movimentar.

57
Onde fica a gratidão?

Será que a gratuidade do gesto, da percepção, a capacidade de se doar vem rareando? Eu sempre me lembro de uma música caipira, composta por Palmeira e Ted Vieira, chamada *Couro de boi*. Muita gente boa no Brasil a regravou, e quem mais fez sucesso com essa música foi a dupla clássica no gênero, Tonico e Tinoco.

Nessa canção há uma introdução falada que traz uma frase do senso comum, mas que é proferida pelos rabinos na cultura judaica. "Um pai trata dez filhos, dez filhos não tratam um pai".

Há uma certa crueldade na ideia, mas ela não é completamente descartável. Existe, sim, essa situação. Na frase da música isso é dito de forma mais caipira: "Um pai trata dez 'fio', dez 'fio' 'num' trata um pai".

58
A fonte do mal

A origem da maldade é uma grande questão da história do pensamento filosófico e teológico. O escritor britânico Joseph Conrad (1857-1924) é autor de uma obra de 1902, *Coração das trevas*, que inspirou o filme *Apocalipse Now*, de 1979. Marlon Brando (1924-2004) faz o papel do Coronel Curtis, um homem que precisa ser eliminado pelas forças norte-americanas, embora fosse um coronel do exército do país, porque, em tese, praticava o mal, assassinava e teria supostamente enlouquecido, ido para as trevas.

Por isso, Joseph Conrad dizia que "a crença numa fonte sobrenatural do mal não é sempre necessária. O homem, por si só, é capaz de qualquer perversidade".

Quase que se diria: "não precisa de demônio", alguns são capazes da maldade por si.

59
Preguiça

"Ai, que preguiça", dizia Macunaíma, naquela voz e trejeito especial da interpretação de Grande Otelo (1915-1993), no filme inspirado na obra de Mario de Andrade (*Macunaíma*. Brasil, 1969, direção de Joaquim Pedro de Andrade, 110min). Por incrível que pareça, a preguiça pode ser fonte criativa.

Um outro Mario, o Quintana (1906-1994), elevado poeta gaúcho, deixou uma obra especial. Num dos seus livros, *A volta da esquina*, ele escreveu que "a preguiça é a mãe do progresso; se o homem não tivesse preguiça de caminhar não teria inventado a roda".

Evidentemente que há um tom de brincadeira de Mario Quintana, mas ele diz algo verdadeiro. Poupar esforço, ser capaz de economizar energia é algo que nos leva, sim, a uma criatividade maior.

60
Posse obsessiva

Ser obcecado por posses é o que se chama também de ganância, é a propriedade exclusiva que alguém quer sobre as coisas e faz tudo o que for possível para obtê-las.

O pensador florentino Maquiavel (1469-1527) em sua obra chamada *O príncipe*, no capítulo XXII registrou uma ideia que é muito repetida e, infelizmente, muito verdadeira: "As pessoas esquecem a morte do pai mais depressa do que a perda do patrimônio".

Ele escreveu isso para dizer que um governante, se quiser ser temido e, portanto, obedecido pelo temor, deveria confiscar o patrimônio e multar as pessoas, porque a multa tem muito mais eficiência do que a orientação, do que a educação.

61
O lugar do certo

Ser prático nem sempre é ser correto! Nem todo atalho é decente, pois pode ser desvio que economiza tempo e esforço a partir de um driblar do que é correto fazer. "Colar" é mais prático do que estudar; "plagiar" é mais prático do que criar; "furtar" é mais prático do que trabalhar, "corromper" é mais prático do que assumir. No entanto, nenhum desses caminhos encurtados é eticamente correto.

Por isso, quando eu for agir preciso sempre me perguntar: Aquilo que faço torna decente a minha trajetória? Deixa saudável a minha biografia? Honra a memória daqueles que me criaram?

Se assim não for há um apodrecimento da nossa dignidade individual e coletiva, frustrando a condição de uma Vida que respeite o magnífico mistério que é a própria Vida!

62
O lugar do essencial

O *essencial* é tudo aquilo que não pode não ser, tudo aquilo que dá verdadeiro sentido à nossa existência: amizade, amorosidade, religiosidade, solidariedade, sexualidade, fraternidade, felicidade.

O *fundamental* é tudo aquilo que nos permite proteger o essencial e nos facilita existir: trabalho, tecnologia, conhecimento, dinheiro, matéria-prima.

Muita gente se dedica com intensidade ao fundamental e relega a plano secundário o essencial. Trabalho, por exemplo, é fundamental, é uma escada para nos permitir chegar a algum lugar; ora, ninguém tem uma escada para apenas ficar sobre ela, pois serve para nos servir. Dinheiro é fundamental, dado que sem ele a existência hoje fica precária; porém, o dinheiro por si mesmo nada significa de essencial.

Essa tal felicidade

63
Felicidade não
é só alegria

Felicidade é transbordamento! Ou é alegria, bem-estar, euforia? A felicidade é um estado superior a algumas dessas boas sensações.

A alegria é um componente da felicidade, porque a felicidade não é triste, mas ela não esgota a felicidade. Ela é uma das formas pelas quais a felicidade pode se mostrar. Mas alegria não significa uma vibração intensa da vida. Não é uma sensação de plenitude da vida, é só um momento em que você ouve algo, vê algo e está alegre.

Crianças correndo na escola; essa cena é de absoluta felicidade para elas. Elas estão alegres, rindo, brincando; mas sair gritando, de braços abertos e pular num balanço ou se enroscar na corda e ficar balançando é uma expressão da felicidade. A alegria não esgota a ideia de felicidade.

64
Abundância partilhada

Bem-estar não é idêntico a felicidade. Eu posso ter o bem--estar na hora em que sento e a cadeira está confortável, estou apoiado e a temperatura está boa. Eu sinto um bem-estar, mas não vou dizer que eu estou feliz nem que esteja eufórico.

Euforia vem da expressão *foros*, que em grego é "aquilo que leva". Euforia é o que transporta o bom. O bem-estar não se confunde com a felicidade; a felicidade inclui o bem-estar, a alegria, a euforia, mas ela não se limita a isso. Estar somente eufórico não significa que você está feliz.

Eu prefiro supor que a felicidade é a percepção da abundância da vida. Quando eu percebo que a vida em mim é abundante e quando posso partilhar, pois isso aumenta ainda mais a minha possibilidade de felicidade.

65
Um obstáculo à natureza

Meu pai Antonio nos ensinava: quando você olha uma porta tem de prestar atenção na fechadura, mas tem de ficar mais atento à maçaneta. Você não pode abrir uma porta desconhecendo que ela tem uma fechadura, mas as pessoas ficam tão fixadas na fechadura que não dão atenção necessária à maçaneta.

E a vida, enquanto solução de fertilidade, é feita de maçanetas, e não de fechaduras.

A própria natureza faz isso. Ela encontra os seus caminhos. Será que a humanidade perece? É uma probabilidade. Será que o planeta será mais feliz sem nós? Como não se pode aplicar esse conceito de felicidade fora do mundo humano fica difícil qualquer formulação, mas é possível afirmar que menos agredido o planeta seria, dado o nível de malefício a que o submetemos.

66
Compaixão...

Tom Jobim, numa de suas canções fala que é impossível ser feliz sozinho, porque fruir a felicidade sozinho é possível, mas não por muito tempo. Eu consigo até fazê-lo, mas vou me deparar com muitas circunstâncias que anulam essa percepção.

Não é que eu preciso pensar apenas em quem está sofrendo em outro lugar, mas é que nós somos não só seres capazes de felicidade, mas somos capazes também de compaixão.

A compaixão é um sentimento necessário à nossa humanidade, mas ainda bem que ela é bloqueadora da felicidade exclusiva. Não dá para eu ser feliz com as vicissitudes que estão acontecendo o tempo todo. Porém, a flor também nasce no meio do asfalto. A natureza resiste. De repente, uma planta brota num lugar absolutamente improvável. Mas brota e nos anima!

67

A Vida vai além

A Vida é resistente, ela transborda. E essa é outra percepção que tenho em relação à felicidade: a do transbordamento. Eu sempre digo isso. Quando você coloca água no copo, a água se conforma ao copo, fica aprisionada pela forma do copo.

Acho que vida partilhada é aquela que transborda. A água parada fede e se torna inútil se ficar reclusa. Uma água para fertilizar tem de sair daquilo que é o continente dela. Aquele conteúdo precisa ultrapassar a borda do continente.

Por isso, uma das forças maiores da ideia de abundância para mim é não só a partilha como a doação voluntária daquilo que a vida expressa, mas a encarnação da caridade. Caridade, para não se esvaziar, tem de encarnar o sentido clássico de amor fraterno, fraternidade.

68
Às vezes não dá
para ser feliz...

Toda vez que eu consigo partilhar o meu conhecimento, que é a minha atividade, quero que a outra pessoa o tenha, dado que aquilo também fará bem a ela, e isso não é algo que apenas me exalta porque eu sou o ponto de partida; a fruição, o aproveitamento, o degustar são muito mais fortes do que se fosse apenas uma doação.

Ver a abundância colocada desse modo, e remetendo à pergunta "Felicidade foi-se embora?", posso responder: "Às vezes".

Ela vai e pode ir e voltar tal como as águas do mar. Ela vai-se embora sempre? Não. Em meio ao campo de refugiados eu posso ver situações felizes? Claro. Posso ser feliz com a existência de um campo de refugiados? De maneira alguma. A existência dele nos transtorna e exige uma ação coletiva mais fraterna.

69
Apesar dos pesares...

A pergunta retorna: É possível ser feliz? Sim, mas nem sempre e nem o tempo todo. Isso não significa que nos abafemos a ponto de nos tornar impermeáveis à ideia de felicidade: "Eu não tenho como ser feliz num mundo que sofre, onde há fome".

Essa impermeabilidade do "eu não posso", essa fraqueza espiritual é muito desesperadora, chegando, inclusive, a ser acomodada e empobrecida, sendo, em muitos casos, uma ofensa à dádiva da Vida.

Eu não posso esquecer da existência das mazelas, dos percalços e dos infortúnios, mas eu não posso fazer com que as mazelas tenham mais uma vitória. Isto é, além de já produzirem o sofrimento que produzem, ainda soldam em mim as frestas em que a euforia de uma vida mais fértil possa vir à tona.

70
Viva!

Felicidade é fertilidade. Momentos como terminar um livro, arrumar uma mesa, permitem que nos sintamos absolutamente férteis. Dá uma felicidade imensa desfrutar de uma leitura prazerosa, estar no convívio de amigos e parentes em um almoço. Isso dá uma percepção imensa de fertilidade.

A felicidade não sendo um estado contínuo – dado que isso aproximaria a felicidade de delírio – é, acima de tudo, a construção de circunstâncias nas quais eu faça a vida vibrar.

A felicidade pode se manifestar como resultado de um processo e também como gratuidade. O que entendo como felicidade, como gratuidade? Estou caminhando, um dos meus netos ou netas vem correndo, dá-me um beijo de raspão no rosto e diz: "Vovô, eu te amo", e sai correndo. Naquela hora a vida vibra em mim.

Referências bibliográficas

Qual é a tua obra? – Inquietações propositivas sobre gestão, liderança e ética [25ª ed. revista e atualizada, 2017; 8ª reimp., 2019].

Pensar bem nos faz bem! – 1. Filosofia, religião, ciência, educação [5ª ed., 2015; 13ª reimp., 2020].

Pensar bem nos faz bem! – 2. Família, carreira, convivência, ética [4ª ed., 2015; 9ª reimp., 2020].

Pensar bem nos faz bem! – 3. Fé, sabedoria, conhecimento, formação [1ª ed., 2015; 9ª reimp., 2020].

Pensar bem nos faz bem! – 4. Vivência familiar, vivência profissional, vivência intelectual, vivência moral [1ª ed., 2015; 8ª reimp., 2020].

Felicidade foi-se embora? [com Frei Betto e Leonardo Boff] [1ª ed., 2016; 3ª reimp., 2020].

Demais livros do autor pela Editora Vozes

Filosofia – E nós com isso? [1ª ed., 2019; 3ª reimp., 2020].

Não espere pelo epitáfio! – Provocações filosóficas [16ª ed., 2014; 8ª reimp., 2019].

Não nascemos prontos! – Provocações filosóficas [19ª ed., 2015; 12ª reimp., 2019].

Não se desespere! – Provocações filosóficas [7ª ed., 2014; 14ª reimp., 2019].

Nós e a escola – Agonias e alegrias [1ª ed., 2018; 1ª reimp., 2020].

Conecte-se conosco:

f facebook.com/editoravozes

◉ @editoravozes

𝕏 @editora_vozes

▶ youtube.com/editoravozes

☎ +55 24 2233-9033

---
www.vozes.com.br

Conheça nossas lojas:
www.livrariavozes.com.br

Belo Horizonte – Brasília – Campinas – Cuiabá – Curitiba
Fortaleza – Juiz de Fora – Petrópolis – Recife – São Paulo

EDITORA VOZES LTDA.
Rua Frei Luís, 100 – Centro – Cep 25689-900 – Petrópolis, RJ
Tel.: (24) 2233-9000 – E-mail: vendas@vozes.com.br